서정시학 서정시 154

생이 빛나는 오늘

최동호 사행시집

서정시학

최동호

1948년 경기도 수원 출생. 고려대 국문과, 동대학원 문학박사.
경남대와 경희대, 고려대 교수 역임. 현 고려대 문과대 국문과 명예교수 겸 경남대 석좌교수.
시집 『황사바람』(1976), 『아침책상』(1988), 『공놀이하는 달마』(2002), 『불꽃 비단벌레』(2009), 『얼음 얼굴』(2011), 『수원 남문 언덕』(2014), 『제왕나비』(2019), 『황금 가랑잎』(2021), 『경이로운 빛의 인간』(한영시집, 2023) 등.
대산문학상, 만해대상, 박두진문학상, 정지용문학상, 몰도바 작가연맹문학상, 미국 제니마문학상 등 수상.

서정시학 서정시 154

생이 빛나는 오늘

2024년 5월 30일 초판 1쇄 발행

지 은 이 · 최동호
펴 낸 이 · 최단아
편집교정 · 정우진
펴 낸 곳 · 도서출판 서정시학
인 쇄 소 · ㈜ 상지사
주 소 · 서울시 서초구 서초중앙로 18, 504호 (서초쌍용플래티넘)
전 화 · 02-928-7016
팩 스 · 02-922-7017
이 메 일 · lyricpoetics@gmail.com
출판등록 · 209-91-66271

ISBN 979-11-92580-36-4 03810

계좌번호: 국민 070101-04-072847 최단아(서정시학)
값 13,000원

스승의 가르침은 말씀이 아니라

침묵이다

후학이 진정 배워야 할 가르침은

침묵의 전율

—「진정한 가르침」 전문

머리말

시조의 길도 아니고 하이쿠의 길도 아닌 시 형태를 깊이 탐구해 왔다. 오랜 모색 끝에 디지털적 시대의 시가 무엇인가를 다시 고려해 보았다.

민요형의 사구체 향가에서 발원한 고대 시가는 시조 창을 부르던 시대를 거쳐 디지털 시대의 사행시로 재탄생하기에 이르렀다. 서정시는 궁극적으로 노래를 지향한다.

1930년대 시문학파의 김영랑이 사행 소곡을 발표한 이후 간헐적으로 사행시가 맥을 이어 왔지만 디지털 시대를 맞아 사행시는 새로운 시적 형식으로 생명력을 부여받아야 할 것이다. 스마트폰이 지배하는 시대 정신을 표현하는 시 형태가 사행시이다.

지난 삼 년여 동안 줄기차게 탐구한 사행시를 한 권 시집을 묶는다.

2024년 봄

차 례

1부

2부

3부

4부

생이 빛나는 오늘

1부

겨울눈 보리밭

눈보라 몰아치는 거센 폭풍도

꺾을 수 없는 사람

사랑 깊은 마음 겨울눈 보리밭

푸른 아지랑이

대보름

좌중을 주장자로 내려친 선승이

팔뚝을 꺾어 허공에 던진 뼈다귀

그림자 하나 줍지 못한 바보들

산천을 진동하는 소리 넋 나간다

돌담

제주 남풍 멀리서 파도 타고

아무리 불어도 처녀애들

검은 귀밑머리 풀고 들노래 부를 때

돌담에 봄바람 나네

피어나라, 풀꽃

작은 풀꽃에 떨어진

빗방울 하나

우주의 어둠 뚫고 온

지구별 생명의 씨

연록의 악기

짝을 부르는 빼꾹새 주둥이

연록의 악기 부푸는 목덜미

은빛 윤슬이 물결치는 한낮

실바람 타고 봉긋한 젖꼭지

등 푸른 말갈기

푸른 들판을 질주하는 등판에

사선을 긋는 빗줄기

천둥 벼락 꽁무니에 달고 들판 끝까지

말갈기 바람에 날리는 청춘

떠돌이 거지

돌중은 애꿎은 목탁이나 치고

선승은 해골바가지 두드리고

떠돌이 거지는 각설이 타령

봄바람 홍겹게 노는 빈 깡통

실비 사랑

옷깃 적신 실비에 싹이 움텄는데

아름다운 꽃은 짧은 사랑에 지고

봄바람 산들 불어 꽃 진 자리

해 저무는 날 저리도록 속절없네

설산 독수리

분홍 꽃잎들 분분히 날려

먹먹한 가슴

죄없이 들뜬 육신

설산 독수리 찾아가야 하리

그림자

그대는 떠나가고 강가에

쪽배만 남아

봄바람 불 때마다 실버들 사이로

그대 그림자 하늘거리네

시비

봄비가 시비를 적시고 있다

글자가 흐려지고 돌이 마모되고

사람들 마음도 점차 지워지고

남는 것은 글자도 시도 아니다

서정시

가슴에 슬픔이 고여 있지 않은

사람은 시인 아니다

푸른 호수같이 깊고 맑은 눈동자에

핑 도는 눈물

늑대달

굶주린 늑대를 부르는 만월의 밤

정신병동 감금된

야성이 불타오르는 인간 늑대

홀리는 붉은 달

섬

고래가 물기둥 뿜어 하늘을 두드릴 때

파도 물결 타고

황금 나뭇잎에 실린

산 그림자 조용히 끌어 당겨보는 섬

호시절

그토록 신바람 나던 호시절

꽃이 지는 것도 사랑이라지

그토록 아름답게 광나던 호시절

덧없이 지는 것도 사랑이라지

해골바가지 우물통

꿈속의 피비린내까지

다 지우고 난

해골바가지 우물통 맑은 물

푸른 하늘 흰 구름

2부

경이로운 열반

육신을 태워 하늘에 공양하고

잿더미에서 얻은 불사의 생명

덧없는 육신을 뛰어넘은 구도자

경이로운 빛, 성스러운 법신

불심의 젖가슴

어린 손자 지팡이 삼아 꼬부랑 길 언덕

부처님 찾아가던

까칠하게 말라붙은 할머니 젖가슴

불심의 깊은 샘

바위의 사랑

태고에 용솟음친 불덩어리

먹구름 하늘을 쪼개던

천둥 벼락이 굽이쳐 간 검붉은 바위

장엄한 서사시의 바다

나비의 책

나비가 날개를 펼칠 때마다

바위가 책장처럼 열리고

그 책 읽으려 하는데 나비는 날아가고

단풍잎만 뒤척이는 바위

물방울 부처

푸른 물방울 속에

부처가 있고

둘 데 없는 내 마음은

부처 품에 있다

초원의 길

아무도 가지 않은 길 한 사람이 가고

열 사람이 이어 가면 발자국이 남고

천 사람이 가면 소문난 길이 되지만

발자국 사라지면 잡초가 길을 덮는다*

---

* 옛 초원의 속담 변형.

산울림

산언덕에 쏟아지는 무량한 햇살

찰랑거리는 바람과 풀향기 물살

산언덕 멀리서 나를 부르는 소리

환하게 웃고 되돌아서는 뒷모습

먹구름 기둥 어머니

먹구름 가족, 아 어머니

가장 큰 울음을 참고

하늘 기둥처럼 서 계셨던 것도 모르고

풍선 터트리고 울던 어린 날

초승달

강릉 경포 호수 위에 뜬

초승달 눈썹같이

아름다운 미인을 꿈꾸던 시절

달맞이꽃 산들바람

풀벌레 우는 밤

칠흑 바다 어둠을 앞마당에 끌어다 놓고

파도처럼 우는 풀벌레가 울지마라 하네

새까맣게 우는 풀벌레야 내가 멈추면

그 징한 울음소리 이젠 정말 그쳐다오

먹물 한 점

옥수수수염이 부쩍부쩍 자라

밤바람 서걱대는 어둠 속

피 먹은 붉은 수염 귀신 웃음소리

먹물 한 점으로 잡아두는 밤

사투

벼랑바위에 바늘 끝 세운 솔잎

바위와 겨룬 치열한 사투의 흔적

생사를 걸고 싸운 소나무 씨는

벼랑바위가 거부하지 못한 사랑

햇살

독한 감기로 칠팔일 넘게 누웠다가

밖으로 나가 걸어보니 세상은

치열한 여름, 발자국 흔들리는 한낮

구두 뒤축에 박히는 찰진 햇살

대화

어둠에 처음 불을 켠 등대지기

파도를 바라보고, 태풍이 올 것

같지 않소, 담배를 문 늙은 어부는

등불보다 멀리 바다를 본다

사막

발자국 흔적 찾아 걸어왔는데

갑자기 모래바람 몰아쳐

흔적 하나 없이 사라진 언덕

나 없는 나, 개미 그림자

광야의 무법자

달빛을 막아선 국경선

검은 말 그림자 일렁이는 강물

숨죽여 살펴보는 물이랑 길목

은쟁반 무법의 눈동자

일조의 꿈

구천억 가진 어떤 사람의 목표

자식과도 인연을 단절한 생

부족한 천억을 채우려 치달리며

아드레날린 내뿜는 인간 기관차

한산중학교 특강

전교생 열세 명, 햇살 반짝이는 유리창

코로나로 아홉 명 참석, 이순신

명량대첩 당시와 같은 수의 얼굴들

유리창 너머 푸른 바다가 출렁였다

3부

갈대밭 둥지

소주병 안에

찰랑이는 강물

깃털만 남기고 간 갈대밭

철새 발자국

노루 귀

전어 굽는 뽀얀 가을 연기

꽁지에 타오르는 노을빛

사립문짝 인기척에 소스라쳐

쫑긋 세운 노루 귀

자화상

거울 속에서 귀신 만나 분명

저 백발 귀신 어디서 봤더라,

머리통에 주먹 한 방 날리니 갑자기

해골 통 속 내가 튀어나온다.

돌 아닌 돌*

시를 배운 돌은 그냥 돌이

아니라 인간이다

정지용의 시가 돌을 굴리면

쿵쿵 뛰는 돌의 심장

* 2023년 11월 리움 미술관 김범 초대전 "바위가 되는 법"에서.

우주의 눈물

별은 우주의 눈물방울

극한의 하늘 끝에 올라

사랑에 눈먼 돌가슴

산산이 깨진 유리 가루

여치

날개 비비는 다리에

가을바람 오고

초록빛 사랑은 속절없다

여윈 울음 다리 긴 여치야

달밤

밤꽃 속 알이 애벌레가 되어

젖 냄새 풍기는 아기 밤

밤송이 뿔 젖니처럼 자라

실바람도 가슴 아린 슬픈 밤

가랑잎 속달

여치 울음소리 잦아들자

문득, 가을바람 나

여름날 그의 등이 어른거리는

유리창엔 가랑잎 속달

그림자

항상 등 뒤에 따라오던

등신 그림자 어느 틈에

길게 자란 전봇대 앞에서

성큼성큼 걸어가고 있다

원룸 키

열쇠 구멍에 키를 넣고

찰칵, 빛이 번쩍

봉인된 방 번갯불

찰칵, 어질러진 이부자리

거리의 악사

— 인사동 길목에서

때 절은 모자에 동전 몇 잎

저물녘 바람 차가운 등덜미

지폐처럼 날리는 황금빛 선율

녹슨 현을 밟고 가는 행인들

거미의 왕자

흔들리는 나뭇가지 사이 방사형

투명그물 밤하늘에 펼쳐 놓고

허공을 노닐다가, 유성도 낚아채며

우주와 교신하는 그물망의 왕자

빗방울

세상을 적실 수 없어도

마음 한 구석, 마른

보푸라기 먼지 위 갈바람

떨어트리는 가을비

가을

가벼이 단풍잎 바람에 날리고

맑은 햇살 황금빛 바람

쨩 쨩 쨩

유리창 부딪쳐 가을이 우네

황금 가면

하늘이 날려 보낸 황금색 엽서

중심에서 퍼져나가는 물이랑

부처님 친견한 듯 놀란 옹달샘

황금 가면아, 네가 진짜 부처지

허깨비 시인

죽어라 쓰는 사람, 목숨까지

걸었다는 풍문이 떠돌았지만

세상 저 너머까지 가서도 결코

멈추지 않을 허깨비 그림자

먹물 귀신

— 소산 선생에게

경주 삼릉 소나무 숲 움막 먹물 귀신이 숨어 있다

세상의 비경을 찾는 먹물 귀신은 천년 소나무 껍질

거적을 둘러쓰고 귀신의 붓 들어 춤추며 날듯이

귀신도 곡할 솜씨 심산유곡 그리며 노닐고 있다

허깨비춤

허깨비가 방아깨비 인생 허깨비

그림자 춤 좀 보소, 파안대소

헛것들이 허깨비 장난삼아

그림자 없이 놀다가는 웃음소리

4부

생이 빛나는 오늘*

전생을 묻지 마라

금생이 전생이다

후생을 묻지 마라

금생이 후생이다

---

* 옛 불교 경전에서.

바위 시집

책장 하나 넘기려는데

바위보다 무거운 시집

흔적이나마 찾으려 해도

꿈쩍도 하지 않는 바위

혈사경血寫經

먹으로 써도 헛것이오

금으로 써도 헛것이라

혀를 찔러 피로 쓴 경전

지우지 못한 붓 그림자

명마의 눈동자

눈동자에 번득이던

섬광 잡지 못하면

지평선 너머 천릿길 갈 수 없다

아무리 산호 채찍 후려쳐도

선비와 사무라이

먹물에 붓을 깊이 적신 선비는 도가 높고

사무라이는 날을 다듬어 이름을 날리네

선비는 붓의 힘으로 난세를 평정하지만

난세의 사무라이는 검광을 빛내야 하네

초침 벼락

정수리 때리는 초침

찰나는 예외 없다

느리게 가던 하루, 손을 떨구는 노인

단칼의 찰나

디지털 그물

읽히지 않는 시는 버려진 고아

폐간되는 잡지

인터넷 그물망에서도 폐기되는

시, 청춘도 지랄도 디지털

폐교 작업실*

첫 몇 밤은 문안하는 방문객

그리고 며칠 지나 양철 지붕

뚫고 오는 솔방울 꽂힌 정수리

꿈속에서 가위눌리는 소리

* 『유심』 2023년 가을호 「솔방울 소리 천둥 치는 밤」 수정.

진정한 가르침

스승의 가르침은 말씀이 아니라

침묵이다

후학이 진정 배워야 할 가르침은

침묵의 전율

첫눈

아내가 싸락눈처럼 웃으니

마당에 잔주름 잡히는 소리

실눈처럼 가늘어진 가을 가고

바늘귀 구멍 뚫고 오는 눈

쪽방촌 겨울

커피 한 잔은

연탄 세 장

커피 석 잔 값 시 한 편도

거기선 사치다

겨울 햇살

쪽방촌 뒷골목

마지막 선술집

오줌 지린 길바닥 납빛 햇살

하얗게 얼어붙은 밥알

문패

너, 이 천하의 못된 놈

시인이라는 문패 걸고

온갖 헛된 말 써 대고 살았구나

이생의 죄나 씻고 가라

굴뚝새

뻐얀 한기에 잠긴 석등

새벽 절 마당 기침 소리

아랫마을 꽃피는 굴뚝 연기

박명을 품는 부처 눈길

빙하의 시

파지 쌓인 책상에 쏟아지는

정오의 폭포 같은 햇살,

빙하 만년 푸른빛 펼치는 눈부신

세상의 파도 물결

시의 눈동자

거센 겨울바람이여 투지 없이 등성이에 오를 수 없구나.

연약한 봄바람이여, 대지를 뚫고 솟아오를 힘이 있도다.

나는 태풍의 눈으로 들어가 먹구름 속에 잠든 용을 깨워

비바람 뚫고 하늘로 비상하는 시의 눈동자를 찾으리라.

시인의 산문

사구체 향가에서 디지털 사행시로

최근 한국 현대시는 인간과 기계의 경계선에 서 있다. 디지털적 상황에서 시의 위기는 심각하다. 일부 젊은 시인들은 자신이 느끼고 생각하는 대로 쓰다 보니 자기도 모르게 시가 장황하게 길어지는 현상도 나타나고 있다. 짧은 형태로 시적 정서를 축약하기 어려운 탓이다.

시조 같은 재래의 형식이 젊은 세대에게 가볍게 보이겠지만, 어떤 형식적인 절제를 갖추기 위해 자수율을 맞춰야 하고 그것을 3행의 구조로 배열하면 시적인 느낌도 살아나는데 그것을 우리는 형식이 지닌 강력한 힘이라 보아야 한다. 승전을 뒤바꿀 수 있고 행을 분절시켜 변주하거나 변형하면서 여러 형태로 구조화될 수 있다. 그런 면에서 4행시가 가진 기승전결이라는 미학적 인 구조는 해체적 상황에 직면한 우리 시에 새로운 생명력을 되찾아 줄 것이다.

예를 들어, 소월의 「진달래꽃」은 발표된 지 100년이 지났다. 그 시가 아직 논의되고 있는 이유 가운데 하나는 기승전결의 구조적 견고성에 있다. 오늘의 현대시는 시의 기본 논리 구조가 해체되어 있다고 할 수 있지만, 그 길이가 짧다고 해도 그 짧은 가운데 어떤 견고한 구조를 갖춘 시는 지속적인 생명력을 가진다는 사실을 소월시가 입증한다고 하겠다.

우리 시대의 시가 디지털적 상황에 놓여 그 이전과 다른 난관에 봉착했기 때문에 이러한 구조적 견고성에 대한 심도 있는 천착이 필요하다. 인간의 감정과 정서를 지켜주는 미학적 완결성을 가진 시적 형식이 무엇인가를 찾아 우리 시가 나아갈 새로운 가능성을 찾아보아야 한다는 것이다.

시조나 하이쿠가 지닌 구조적 미학이 아니라 4행시의 미학을 통해 극복할 수 있으리라는 하나의 가정을 던져 볼 수 있다. 또, 4행시라고 하면 요즈음 유행하고 있는 디카시를 떠올릴 수 있다. 디카시에는 3행시나 4행시가 많다. 디카시는 최근 대중적인 호응과 더불어 널리 창작되는 추세이지만, 시적인 심도나 언어적 심미성보다는 사진이라는 시각적 이미지의 강도에 더 많이 의존하는 것 같기도 하다. 4행시라고 할 때는 미학적 구조를 전제한 것이다. 최근 시노래에 대해서도 관심을 기울이고 있는 필자는 우리가 즐겨 부르는 노래 가운데 상당수는 4행을 기본으로 하고 이를 반복적으로 부르는 경우가 많다는 것에 주목하고 있다. 다카시나 시의 음악적 영역의 확장은 디지털적 상황에서 인간의 감정을 살려내는 미적 응전의 방식이라 할 수 있을 것이다.

2011년 시집 『얼음 얼굴』 머리말에서 '소통을 지향하는 디지털적 집약의 시가 극서정시'라고 하면서 '그것은 하이쿠의 길도 아니고 시조의 길도 아니다.'라고 필자는 말한 바 있다. 그리고 2019년 『제왕나비』에서는 '극서정시의 명징성에 도달하는 것이 시적 목표'라고도 했다. 물론 자신이 세운 비평적 목표가 그대로 시적 성과로 반영되는 것은 아니다. 처음 사용한 극서정시라는 용어는 결국 극도의 밀도를 지닌 단형시를 지칭했던 것이라 할 수 있는데 그 형식적 요소를 규정하기 힘들었던 까닭에 그런 용어를 사용한 것이다. 이로 인해 극서정시라는 용어는 형태적으로 모호성을 갖고 있다는 것은 하나의 약점이었다. 그 이후 10년 여의 창작과 이론적 탐색 끝에 도달한 결론은 그것을 형태적으로 규정한다면 '디지털적 사행시'라고 명명해 보자는 것이다.

사행시는 역사적 연원도 깊고 구조적 완결성도 지니고 있어서 보편적 용어가 될 수 있다. 이는 고대의 「구지가」나 「풍요」와 같은 시가와도 상통하는 점이 있고 김영랑, 김달진, 박희진, 임보, 윤수천 등의 현대 시인들이 이미 시도한 시의 형태이기도 하다.

물론 이러한 용어적 기시감으로 인해 복고적이라는 비판이 먼저 날아올 수도 있겠지만 디지털적 상황을 전제한 사행시는 그 이전과 다르게 언어적 밀도와 농축을 집중시켜 새로운 생명력을 부여해야 할 형태다. 또한 시와 노래의 접점에서 사행시가 매개적 역할을 할 수 있다는 강점도 고려한 것이다. 그렇다고 해서 형태적으로 획일적으로 사행이 적용되어야 한다는 것은 아니다. 행의 연의 분절을 통해 다양한 응축과 확장이 가능할 것이다.

디지털적 상황에서 현대시의 진로에 대해 지금까지 필자가 천착한 방향 모색은 고대 시원의 시가 형태로 돌아가 새로운 대안을 찾는 데 있다. 그리고 그것은 단형의 극서정시에서 구조적 견고성을 가진 디지털적 사행시라 명명할 수 있겠다.

(이 원고는 『한국시인』 2024년 봄·여름호에 실린 것이며 제목을 수정했다.)

해설

사철이 기운생동하는 시의 눈동자

이경수(문학평론가)

1.

많은 말을 쏟아내지 않고는 말할 수 없는 시가 있는가 하면 최소한의 언어로 말하려는 시도 있다. 세상과 불화하고 담론으로부터 소외되어서 평온한 말로는 표현하려는 바를 담아낼 수 없는 시의 주체도 있는 반면 요설을 경계하며 최소한의 절제된 언어로 말하는 방법을 선택하는 시의 주체도 있다. 이미 우리 시의 스펙트럼이 경험의 영역을 넘어선 지 오래인 지금에 와서 어느 한쪽을 일방적으로 지지하거나 비판하는 일이 무슨

소용이랴. 시, 또는 좋은 시라고 생각하는 기준은 천차만별이지만 저마다 갈고 닦은 시심과 시안으로 시의 최종심급에 도달하고자 하는 시인의 고투를 읽어내는 일은 그것만으로도 즐거움을 가져다준다.

최동호의 시는 오랜 세월 시인이 추구해 온 시를 향한 고투와 숙련의 길을 지나 이제 서정시의 정수를 원숙한 절제미를 통해 보여주고 있다. 극서정시를 추구해 온 그의 시적 지향이 4행시라는 형식을 새롭게 발견했다고 말할 수도 있겠다. 이번 시집은 시인이 오랜 시간 분투하며 추구해 온 시의 결실이자 4행시의 정수를 보여준다는 점에서 각별하다.

4행시라는 형식은 거슬러 올라가면 4구체 향가에서 그 연원을 찾을 수 있다. 고대가요 「구지가」나 「황조가」도 4행시의 기원을 형성한다고 볼 수 있겠다. 우리의 근현대 시인 중에서는 김영랑, 김달진, 박용래 등의 시인에게서도 4행시 형식이 자주 눈에 띈다. 상대적으로 덜 주목받았을 뿐 백석의 시 중에도 4행시의 형식을 띤 시들이 종종 눈에 띈다. 최동호 시인도 한 좌담에서 언급한 바 있지만 4행시의 형식적 특징은 음악성과 구조적 완결성에서 찾을 수 있다. 전통적인 시가에서도 흔히 발견되는 기승전결의 구조를 4행시도 띠고 있다는 점도 눈에 띈다. 특히 결에 이르기 위해 한 번 뒤집어지는 전복의 과정을 거쳐야 한다는 점이 4행시가 지닌 매력이라고 최동호는 이야기했는데 이 시집의 수록시들에서도 바로 그런 구조적 특징이 발견되는 점은 흥미롭다.

이 시집에 실린 4행시는 한 행이 하나의 연을 이루는 형식을 취하고 있다는 점에서 4행시이면서 동시에 1행 1연의 4연시라고도 볼 수 있다. 4행으로 이루어진 1연의 시와 1연이 1행으로 이루어진 4행시는 4행시라고 동일하게 불린다 해도 사실상 형식적 차이가 발견된다. 최동호 시인이 주로 창작하는 후자의 형식은 행과 행 사이에 여백이 좀 더 두드러진다는 특징이 있다. 그런 점에서 각 행이 지닌 독립성이 좀 더 두드러지는 방식이라고도 할 수 있겠다. 영랑의 4행시가 유장한 리듬이라는 음악성이 좀 더 두드러지는 형식이었다면, 최동호의 4행시는 4행시의 보편적 형식을 계승하면서도 4행시에 좀 더 현대성을 불어넣고자 각 행 사이에 여백의 휴지를 둬 각 행의 독립성을 부각시키는 전략을 취한 것이 아닌가 짐작해 본다.

2.

최동호의 4행 시집은 총 4부로 이루어져 있는데 한 편 한 편의 시가 기승전결의 구조를 갖추고 있는 것은 물론이고 시집을 이루는 1~4부도 기승전결의 구조를 띠고 있다. 각 부가 봄, 여름, 가을, 겨울의 계절적 특성을 구비하고 있어서 시집의 부를 구성할 때에도 봄, 여름, 가을, 겨울의 사계절의 운행을 염두에 둔 것으로 보인다.

시집의 첫 시 「겨울눈 보리밭」은 "겨울눈 보리밭"에 "푸른 아지랑이"에 주목한다. "눈보라 몰아치는 거센 폭풍도" 생명의 움을 틔우는 "푸른 아지랑이"로 상징되는 봄기운을 꺾을 수는 없음을 노래한다. 생명의 움이 돋는 기운이야말로 "꺾을 수 없는 사람"임을 노래하면서 시작된 시집은 사계절의 운행을 거쳐 시집의 마지막 시 「시의 눈동자」에 이른다. "거센 겨울바람"도 "투지 없이 등성이에 오를 수 없"고 "연약한 봄바람"도 "대지를 뚫고 솟아오를 힘이 있"음을 아는 화자는 "비바람 뚫고 하늘로 비상하는 시의 눈동자를 찾으리라"고 선언한다. 사계절의 섭리를 운행한 시인은 겨울바람의 투지와 봄바람의 비상하는 힘을 체득하고 시의 눈동자를 찾는 여정에 오른다.

작은 풀꽃에 떨어진

빗방울 하나

우주의 어둠 뚫고 온

지구별 생명의 씨

—「피어나라, 풀꽃」 전문

1부에는 겨울 보리밭에 푸른 봄기운이 움트는 시로 시작해 "검은 귀밑머리 풀고 들노래 부를 때/ 돌담에 봄바람 나"(「돌담」)는 봄 풍경을 그린 시, "짝을 부르는 빼꾹새 주둥이/ 연록의 악기 부푸는 목덜미"(「연록의 악기」)로 봄을 비유한 시들로 가득하다. 메마른 겨울을 지나 봄기운이 돌기 시작할 무렵부터 완연한 봄이 무르익은 시기까지 봄은 시심을 자극하는 계절임에 틀림없다.

"작은 풀꽃에 떨어진/ 빗방울 하나"에도 생명 아닌 것이 없다. 최동호의 4행시는 우연한 빗방울 하나에서도 생명의 씨앗을 발견하고자 한다. 우연한 빗방울 하나도 그냥 의미 없이 떨어진 것이 아니라 "우주의 어둠 뚫고 온/ 지구별 생명의 씨"가 거기 들어 있음을 포착해 낸다. 봄은 이렇게 생명의 씨를 잉태한 계절로 그려지면서 시집 전체에서 봄을 주로 그린 1부는 움트는 생명의 기운을 일으키는 역할을 한다.

먹구름 가족, 아 어머니

가장 큰 울음을 참고

하늘 기둥처럼 서 계셨던 것도 모르고

풍선 터트리고 울던 어린 날

—「먹구름 기둥 어머니」 전문

2부에서 여름의 계절감을 전해주는 소재는 먹구름, 천둥 벼락같이 한여름 장마를 연상시키는 것들이다. 색채 감각도 불덩어리나 검붉은 빛이 종종 모습을 드러낸다. "장엄한 서사시의 바다"(「바위의 사랑」)가 이렇게 여름을 연다.

인용한 시에서는 먹구름이 비유로 쓰였다. "하늘 기둥처럼 서계셨던 어머니"는 화자에게 늘 "하늘 기둥" 같은 존재였을 것이므로 "가장 큰 울음을 참고" 있었던 것을, 그러면서 "하늘 기둥처럼 서 계셨던 것"을 모르고 "풍선 터트리고 울던" "어린 날"이 화자에게 문득 떠올랐을 것이다. 어머니가 참고 있던 큰 울음이 그때 '나'의 눈에는 보이지 않았을 것이다. 어머니는 하늘 기둥처럼 서 있는 태산 같은 존재였을 테니까. 그런 어머니 앞에서 풍선처럼 터지기 쉬운 울음을 터트리곤 했을 젊은 날을 회한에 젖어 화자는 회상한다. "하늘 기둥처럼 서 계셨던" 어머니가 "먹구름 기둥"임을 그때 어머니보다 훨씬 더 나이 들고 나서야 비로소 알게 된 것이다. 여름은 태풍 같고 먹구름 같던 젊은 날을 떠오르게 하는 계절이다.

날개 비비는 다리에

가을바람 오고

초록빛 사랑은 속절없다

여윈 울음 다리 긴 여치야

—「여치」 전문

여름부터 초가을까지 우는 여치는 여름 곤충이지만 가을을 알리는 곤충이기도 하다. "여치 울음소리 잦아들자/ 문득, 가을바람"(「가랑잎 속달」)이 느껴지는 것이다. "날개 비비는 다리에/ 가을바람 오고" "초록빛 사랑"이 속절없음을 안다. 여름내 울던 여치는 가을바람과 함께 힘없이 우는 존재가 된다.

3부의 4행시들에는 가을바람이 분다. "전어 굽는 뽀

얀 가을 연기”(「노루 귀」)로 가을의 계절감을 드러내기도 하고 “가벼이 단풍잎 바람에 날리고/ 맑은 햇살 황금빛 바람/ 쨩쨩쨩/ 유리창 부딪쳐 가을이 우”(「가을」)는 모습으로 가을은 형상화된다.

쪽방촌 뒷골목

마지막 선술집

오줌 지린 길바닥 납빛 햇살

하얗게 얼어붙은 밥알

—「겨울 햇살」 전문

최동호의 이번 시집에서 겨울의 계절감은 쪽방촌을 동반한다. “커피 한 잔은/ 연탄 세 장”과 같은 값인데 커피는 기호식품이고 연탄은 쪽방촌 겨울을 견디기에 필수적인 물품이다. “커피 석 잔 값 시 한 편도/ 거기선 사치”(「쪽방촌 겨울」)임을 그의 시는 주목한다. 시 한 편을 쓰기 위해 시인은 오랜 시간 공들여 고민하고 쓰고 지우고를 거듭한다. 그만큼 시인에겐 소중한 시 한 편이 고작 “커피 석 잔 값”에 불과할 뿐이다. 시의 가치를 돈으로 환산할 수는 없지만 우리 시대가 매기는 시의 고

료는 "커피 석 잔 값" 정도인 셈이다. 그런데 그조차도 쪽방촌에서는 사치이다. 당장 한겨울 추위를 물리치는 데는 시가 도움이 될 리 없을 테니 말이다.

인용한 시에서도 "쪽방촌 뒷골목" 풍경을 통해 겨울을 묘사한다. 그곳에는 "마지막 선술집"이 있고 "오줌 지린 길바닥 납빛 햇살"도 있다. 지독한 추위에 "하얗게 얼어붙은 밥알"은 쪽방촌의 혹심한 겨울을 선명하게 보여주는 이미지이다. "빙하 만년 푸른빛 펼치는 눈부신/ 세상의 파도 물결"(「빙하의 시」) 같은 빙하의 시를 쓰고자 하는 시인은 세상으로부터 밀려난 이들이 머무는 쪽방촌의 춥고 가난한 현실에서 겨울을 발견한다. 사계절의 운행을 4행시 형식과 시집에 담아냄으로써 최동호의 시는 그런 겨울을 뚫고 움트는 봄의 기운을 이미 예비하고 있다.

3.

극서정시를 추구해 온 최동호 시가 4행시라는 형식을 실험하는 데 이르게 된 까닭은 무엇일까? 4행시가 고대 시가로부터 4구체 향가, 시조를 거쳐온 전통적인 시가 형식과 맥이 닿아 있고 우리 근현대시에서도 여러 시인들에 의해 꾸준히 창작되어 온 형식이라는 점을 먼저 들 수 있다. 전통시가에서 근대시로 넘어오는 과정에서 우리 시의 형식과 리듬에 대한 고민이 김억 등에 의해 치열하게 이루어지기도 했지만, 오늘날 창작되는 우리 현대시는 읽는 시로 정착되면서 시 고유의 특성이라고 여겨져 왔던 리듬을 논의하는 데 어려움을 갖게 되었다. 시의 스펙트럼이 한계 없이 넓어졌다고 볼 수도 있지만 전통적으로 계승되어 온 시와의 단절이 심해진 것 또한 사실이다. 우리 고유의 시 형식과 정신에 대한 탐구에 몰두해 온 최동호는 현대시 연구자이자 비평가로서는 정신주의 문학이라는 지향점을 가지고 있었고 시인으로서도 그 연장선에서 극서정시를 추구해 왔다. 4행시는 그런 지향이 도달한 하나의 종착지라고 할 수 있다.

극서정시가 조금 더 구체적인 몸을 얻은 것이 4행시라고 말할 수도 있겠다. 4행시는 우선 뚜렷한 형식적 특성을 가지고 있다. 행의 길이에 따라, 그리고 행의 형태로 활용할지 연의 형태로 활용할지에 따라 4행시라는 틀 안에서 어느 정도의 자유로움을 누릴 수는 있지만 기본적으로 4행시라는 틀을 유지한다는 점에서 형식적 틀이 주어진 시인 셈이다. 4행시가 갖는 여러 가지 형식 미학적 장점 중에서 최동호가 주목하는 바는 구조적 완결성과 그 속에서 발휘되는 반전의 미학이다. 4행시는 기승전결의 구조를 취함으로써 형식적 안정감과 완결성을 지니는데 대체로 '전'에 해당하는 3행을 통해 반전을 꾀함으로써 단조로움을 피하면서 형식적 완결성을 획득하게 된다. 구조적 완결성을 지니면서도 반전을 통한 현대적 감각을 살릴 수 있다는 점이야말로 4행시가 갖는 미학적 장점이라고 말할 수 있겠다.

> 고래가 물기둥 뿜어 하늘을 두드릴 때
>
> 파도 물결 타고
>
> 황금 나뭇잎에 실린
>
> 산 그림자 조용히 끌어 당겨보는 섬
>
> ―「섬」 전문

서로 연결되어 있는 세계의 아름다움을 보여주는 이 시에서 물기둥을 뿜어내는 고래의 몸짓은 나비효과처럼 하늘과 바다와 황금 나뭇잎과 산과 섬을 연결한다. 솟구치는 고래의 물기둥은 하늘 문을 두드리고 바로 그 여파로 잔잔한 바다에 황금 나뭇잎이 밀려온다. 바로 그 "황금 나뭇잎에 실린/ 산 그림자 조용히 끌어 당겨보는 섬"의 몸짓은 결국 고래의 몸짓에 대한 반응인 셈이다. 3행에 등장하는 "황금 나뭇잎"은 1행에 나오는 고래의 몸짓의 결과이면서 동시에 4행에서 그리는 섬의 몸짓의 매개가 된다. 서로에게 영향을 미치며 서로를 변화시킬 수 있는 세계의 아름다움은 이러한 연결의 감각으로부터 온다.

전교생 열세 명, 햇살 반짝이는 유리창

코로나로 아홉 명 참석, 이순신

명량대첩 남은 배와 같은 수의 얼굴들

유리창 너머 푸른 바다가 출렁였다

—「한산중학교 특강」 전문

최동호의 4행시에도 코로나의 흔적은 등장한다. 전교생이 고작 열세 명인 한산중학교에 특강을 갔는데 그나마 코로나로 아홉 명밖에 참석하지 못한 상황을 그린 시이다. "햇살 반짝이는 유리창"은 건재하는 자연을 보여주는 듯하지만 인간은 코로나를 겪으며 취약한 존재인 우리를 확인해야 했다. 우울할 법도 한 상황 앞에서 시의 화자는 명량대첩 앞에서의 이순신을 떠올린다. 한산중학교 특강이어서 그런 것이기도 하겠지만 아홉 명이라는 수는 "명량대첩 남은 배와 같은 수의 얼굴들"임을 떠올린 것이다. 아홉 척밖에 되지 않는 배로도 명량대첩을 승리로 이끈 이순신을 떠올리며 시의 화자는 희망을 품어보는 것이겠다. "유리창 너머 푸른 바다가 출렁"이는 풍경은 그 희망이 불러온 풍경이기도 하다.

> 분홍 꽃잎들 분분히 날려
>
> 먹먹한 가슴
>
> 죄없이 들뜬 육신
>
> 설산 독수리 찾아가야 하리
>
> —「설산 독수리」 전문

"분홍 꽃잎들 분분히 날"리는 봄밤 "먹먹한 가슴"을 부여안고 "죄없이 들뜬 육신"이 되었다가도 "설산 독수리"를 떠올리는 시인의 정신적 지향이 이 시집에서도 모습을 드러낸다. 최동호 시의 주체는 자연에 감응하는 육신을 가지고 있지만 육신의 한계에 갇히지 않으려고 한다. "설산 독수리"는 고통스러운 육신의 한계를 극복하고 빛나는 정신을 추구하고자 하는 시인의 지향을 보여주는 상징이다. “설산 독수리 찾아가야” 한다는 마음으로 그는 시를 써 왔는지도 모른다.

> 전생을 묻지 마라
>
> 금생이 전생이다
>
> 후생을 묻지 마라
>
> 금생이 후생이다
>
> —「생이 빛나는 오늘」 전문

옛 불교 경전에서 따온 말로 쓰인 이 시에서 시인이 주목하는 것은 결국 “금생”이다. “전생을 묻지” 말고 “후생을 묻지” 말라는 명령은 결국 금생에 가장 높은 가치를 두는 생각에서 온다. 금생이 곧 전생이자 후생이라는 생각은 생이 빛나는 오늘을 귀히 여기는 태도를 드러내는 것이다. 전생에 집착하거나 후생에 대한 염원에 매달리다 보면 이번 생을 소홀히 할 수도 있다. 시의 화자는 금생이 곧 전생이고 후생이니 금생에 충실할 때 전생이나 후생도 빛날 수 있음을 말한다. 이번 시집 수록시에서는 이처럼 생에 대한 긍정, 오늘에 대한 충실한 마음이 발견된다.

4.

최동호의 첫 사행 시집은 4행시의 기승전결의 구조를 사계절의 운행과 관련지어 구성한 시집이다. 4행시 형식 안에서도 많은 변주가 가능한데 최동호의 4행시는 1행으로 1연을 구성하는 방식을 택함으로써 각 행과 행 사이에 호흡과 의미의 여백을 두는 형식을 취했다. 최동호의 4행시는 사계절의 운행의 구조와 섭리를 시의 형식에 담아냄으로써 시인의 철학적 지향점과 세계관을 드러내고자 한 것으로 보인다.

비평가이자 연구자로서 최동호는 정신주의 비평을 추구해 왔다면 시인으로서 최동호가 추구해 온 양식은 일종의 극서정시였다. 여기에 구체적인 형식을 입히고 우리 시사의 전통 속에서 그 연원을 찾아내 계승하고자 한 것이 4행시였을 것이다. 고대가요, 4구체 향가, 한시, 시조를 거쳐 근대시와 현대시에 이르기까지 4행시 형식은 다채롭게 변주하며 그 맥을 이어가고 있다. 전통의 계승을 중시해 온 최동호는 질긴 전통의 맥을 지닌 4행시 형식에서 시의 본령의 자리를 찾고자 한 것으로 보인다.

문학이 전위의 자리에 있을 때 새로움을 찾아 골몰하는 것이 시가 추구하는 방향이었다면 AI가 시를 쓰고 시가 읽히지 않는 시대에 시의 새로움을 어디서 찾아야 하는지에 대해서 이 시대를 살아가는 시인이라면 고민하지 않을 수 없을 것이다. 4행시 형식의 재발견에는 최동호 시인의 동시대 시에 대한 고민이 담겨 있다.

"책장 하나 넘기려는데/ 바위보다 무거운 시집"과 마주해야 하는 현실 속에서 "꿈쩍도 하지 않는 바위"(「바위 시집」) 앞에 오늘의 시인들은 절망하고 있을 것이다. "목숨까지/ 걸었다는 풍문이 떠돌" 만큼 "죽어라 쓰는 사람"임을 넘어서 "세상 저 너머까지 가서도 결코/ 멈추지 않을"(「허깨비 시인」) 시인의 열정은 충만하지만 현실은 녹록지 않다. 시가 "읽히지 않는" 시절인 데다 "인터넷 그물망에서도" 시는 "폐기되"(「디지털 그물」)고 있다. 시가 쓸모없다고 말해지는 디지털 시대에 시가 어떻게 생명력을 이어갈 수 있을지 고민하며 최동호는 4행시에 착안했을 것이다. 4행시가 지닌 질긴 생명력에 오늘의 시는 희망을 걸어 볼 수 있을 것인가? 최동호의 사행 시집을 읽으며 독자들도 고민에 동참해 보기 바란다.